Milagres de Jesus

Jesus percorria toda a Galileia. Ensinava, pregava o evangelho do Reino de Deus, curava as enfermidades e realizava milagres.

Milagre da Multiplicação

Jesus viu uma grande multidão à sua volta, movido de profunda compaixão, curou os enfermos que ali estavam.

No final do dia, os discípulos disseram a Jesus: — Já é tarde, despede a multidão Mestre, para que possam comprar algum alimento pelas aldeias.

Jesus disse: — Eles não precisam ir embora, deem alguma coisa para comerem.

Então os discípulos disseram:
— Temos aqui somente cinco pães e dois peixes.

Jesus, tomando os pães e os peixes, orou, abençoou e repartiu. Pediu que todos se assentassem na relva e entregou para os discípulos distribuirem o alimento. Todos se fartaram.

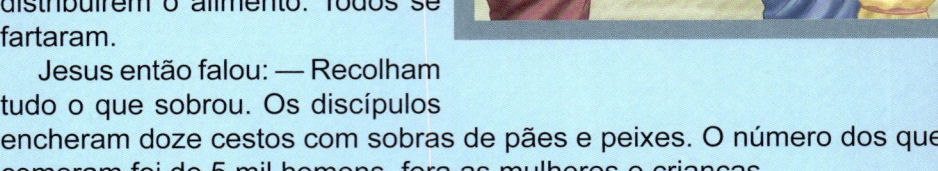

Jesus então falou: — Recolham tudo o que sobrou. Os discípulos encheram doze cestos com sobras de pães e peixes. O número dos que comeram foi de 5 mil homens, fora as mulheres e crianças.

Jesus Ressuscita Lázaro

Lázaro era amigo de Jesus. Marta e Maria eram as irmãs de Lázaro. Um dia Lázaro ficou muito doente e Maria enviou uma mensagem para Jesus, pedindo que ele viesse. Quando Jesus chegou, Lázaro já estava morto e sepultado fazia 4 dias.

Marta correu para Jesus e disse:
— Senhor, se estivesses aqui, meu irmão não teria morrido.

Disse Jesus: — Teu irmão ressuscitará, tenhas fé! Eu sou a ressurreição e a vida, aquele que crê em mim, ainda que esteja morto, viverá!

Jesus foi até onde Lázaro estava. Uma enorme pedra tampava a entrada. Jesus ordenou:
— Tirem a pedra. Assim que a retiraram, Jesus aproximou-se, orou a Deus e falou em alta voz:
— Lázaro, venha para fora!
E no mesmo instante o jovem reviveu e saiu do sepulcro. Todos se maravilharam.

Jesus Acalma a Tempestade

Jesus e seus discípulos entraram num barco para atravessar o mar da Galileia.
E, enquanto navegavam, Jesus dormia. Veio sobre eles uma violenta tempestade e as águas enchiam o barco, estavam em perigo.

Despertaram Jesus, dizendo:
— Mestre, vamos morrer!
Jesus levantou-se, repreendeu o vento e ordenou que as águas se aquietassem, logo tudo se acalmou.
Os discípulos ficaram admirados:
— Até os ventos e o mar lhe obedecem! — Comentaram entre eles.

Jesus Cura o Criado do Oficial

Jesus estava na cidade de Cafarnaum quando um oficial romano aproximou-se e pediu:
— Senhor, meu criado está em casa muito doente.
Jesus disse:
— Eu irei e lhe darei saúde.
O oficial respondeu:
— Não sou digno que entres em minha casa Senhor, mas dize somente uma palavra e o meu criado sarará. — Jesus admirou-se da fé daquele homem e falou:
— Nem mesmo em Israel encontrei tanta fé. — E, dirigindo-se ao oficial, declarou:
— Vai e seja conforme a tua fé.
Naquele momento o seu criado sarou. Estes e muitos outros milagres Jesus realizou para demonstrar o seu poder e o seu amor por todos nós.

Ressurreição

Aproximava-se a época da Páscoa. Muitos judeus iam a Jerusalém nesta ocasião. Jesus entrou na cidade e foi saudado por uma grande multidão que acenava com galhos de palmas. Eles clamavam: - Hosana nas alturas! Bendito o que vem em nome do Senhor!

Jesus foi para o templo e lá encontrou pessoas que faziam comércio e enganavam o povo, Jesus derrubou as mesas dos comerciantes e os expulsou dizendo:

- Está escrito: "A minha casa será chamada casa de oração".

Naqueles dias, Jesus reuniu-se com seus discípulos para a ceia da Páscoa. Ao sentarem-se à mesa disputavam entre si quem era o maior.

Antes de comerem, Jesus apanhou uma bacia com água e cingindo a cintura com uma toalha, lavou os pés de cada um dos seus discípulos. Com esse gesto Ele queria ensiná-los que em primeiro lugar devemos ser humildes.

Logo em seguida, Jesus sentou-se à mesa, abençoou o pão e partindo-o, distribuiu entre os discípulos. Tomou também um cálice de vinho, abençoou-o e deu aos discípulos para beberem.

Jesus disse: — Façam assim para lembrarem-se de Mim quando não estiver mais aqui.

Após a ceia, Jesus e os discípulos foram ao Getsêmani, (também chamado Monte das Oliveiras) para orar. Jesus afastou-se um pouco, subiu o monte e de joelhos orou a Deus. Ele sabia do sofrimento que iria passar, da dor, da sua morte e em profunda agonia Jesus suplicava: — Pai, se não é possível passar de mim este cálice de sofrimentos, não faça a minha, mas a Tua vontade.

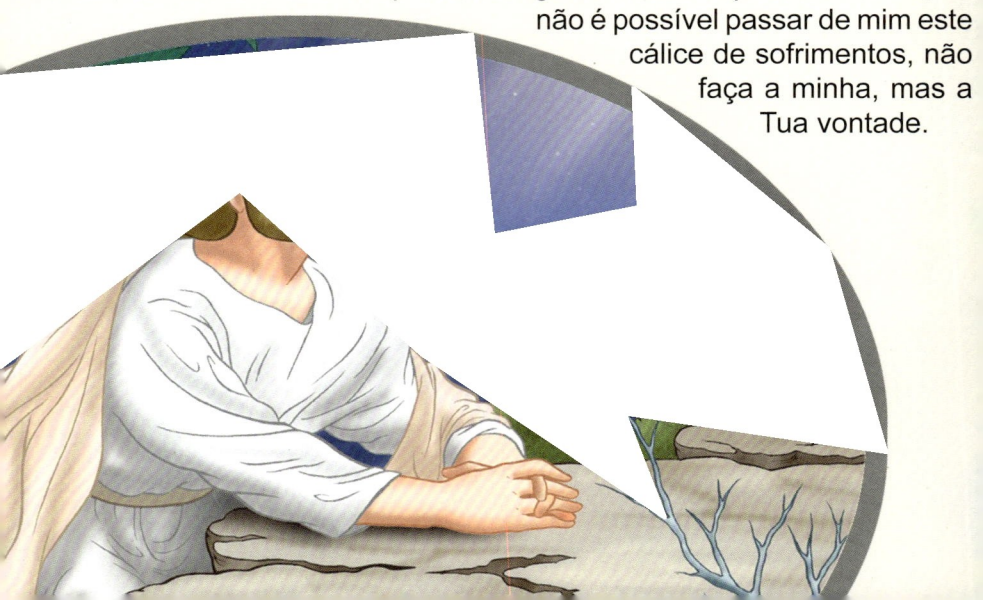

Momentos depois, Ele estava com seus discípulos quando chegou Judas, (que o traiu por trinta moedas de prata) levando os soldados ao Getsêmani para prendê-lo. Jesus foi levado ao sinédrio. Os líderes judeus queriam se livrar de Jesus, porque Ele disse que era o Filho de Deus.

Foi julgado, declarado culpado e enviado para o governador Pôncio Pilatos para receber a sentença. Pilatos ordenou a morte de Jesus, Ele seria crucificado.

Jesus carregou a sua cruz pelas ruas de Jerusalém até o Gólgota, que ficava fora da cidade. Lá Ele foi crucificado no meio de dois ladrões.

Foi colocado em um sepulcro. Uma grande pedra fechou a entrada do túmulo. Guardas vigiaram dia e noite. Chegando a manhã do terceiro dia após a morte de Jesus, houve um grande terremoto, porque o anjo do Senhor desceu do céu, removeu a pedra e assentou-se sobre ela.

Jesus ressuscitou! Os guardas fugiram apavorados.

Maria Madalena e outra Maria foram ver o sepulcro, o anjo então lhes disse:

— Jesus não está mais aqui, Ele ressuscitou. — Elas correram para contar a boa-nova a todos.

Dias depois, estavam os discípulos reunidos, quando Jesus apareceu e disse:

— A paz seja convosco!

Mostrou os sinais nas mãos e nos pés para que os discípulos acreditassem que era Ele mesmo. Jesus explicou o porquê de sua morte e da sua ressurreição e depois ordenou:

— Ide e pregai para todos este evangelho.

Depois de sua ressurreição, Jesus ficou com eles por mais 40 dias. Passados esses dias, Ele os levou para o alto de uma montanha fora de Jerusalém e erguendo as mãos os abençoou. Os discípulos viram Jesus ser elevado aos céus e ouviram Ele dizer: — Eis que estou convosco todos os dias, até a consumação dos séculos.